À la famille et aux amis des jeunes lecteurs :

L'apprentissage de la lecture est une étape cruciale dans la vie de votre enfant. Apprendre à lire est difficile, mais la série *Je peux lire!* est conçue pour rendre cette étape plus facile.

Tout comme l'apprentissage d'un sport ou d'un instrument de musique, la lecture requiert d'exercer souvent ses capacités. Mais pour soutenir l'intérêt et la motivation de l'enfant, il faut le faire participer au sport ou lui faire découvrir l'expérience de la « vraie » musique. La série *Je peux lire!* est conçue de manière à fournir le niveau de lecture approprié et propose des histoires intéressantes qui rendent la lecture stimulante.

Quelques conseils :

- La lecture commence avec l'alphabet et, au tout début, vous devriez aider votre enfant à reconnaître les sons des lettres dans les mots et les sons que font les mots. Avec les lecteurs plus expérimentés, mettez l'accent sur la manière dont les mots sont épelés. Faites-en un jeu!

- Ne vous arrêtez pas au livre. Parlez avec l'enfant de l'histoire, comparez-la à d'autres histoires et demandez-lui pourquoi elle lui a plu.

- Vérifiez si votre enfant a bien compris l'histoire. Demandez-lui de la raconter ou posez-lui des questions sur l'histoire.

C'est aussi l'âge où l'enfant apprend à monter à bicyclette. Au début, pour faciliter les choses, vous posez des roues stabilisatrices et vous tenez la selle pour le guider. De même, la série *Je peux lire!* peut être utilisée comme outil pour vous aider à guider votre enfant et à en faire un lecteur compétent.

Francie Alexander,
spécialiste en lecture
Groupe des publications
éducatives de Scholastic

Catalogage avant publication de Bibliothèque
et Archives Canada
Wilhelm, Hans, 1945-
Je n'aime pas les chats / Hans Wilhelm ;
texte français des Éditions Scholastic.

(Je peux lire!)
Traduction de: No new pets!
Pour les 3-6 ans.
ISBN 978-0-545-98297-9
I. Titre. II. Collection: Je peux lire!
PZ26.3.W48Jeb 2010   j813'.54   C2009-905434-5

Édition publiée par les Éditions Scholastic,
604, rue King Ouest, Toronto (Ontario) M5V 1E1.

5 4 3 2 1   Imprimé au Canada   119   10 11 12 13 14

Sources Mixtes
Groupe de produits issu de forêts bien
gérées et d'autres sources contrôlées.
www.fsc.org Cert no. SGS-COC-003098
© 1996 Forest Stewardship Council
FSC

Je n'aime pas les chats

Hans Wilhelm

Je peux lire! – Niveau 1

Éditions
SCHOLASTIC

Que se passe-t-il?
Elle ne va pas
rester ici celle-là, non?

Tu n'as pas besoin d'elle!
Moi, je suis là!

Elle ne te rapportera
pas le bâton.

Elle est trop petite
pour jouer.

Je suis mignon
et intelligent.
Elle ne l'est pas!

Elle est bizarre.

Elle marche
d'une étrange façon.

Elle sent mauvais!

Qui voudrait d'elle?

Hé! C'est mon ourson!

Je veux qu'elle s'en aille!

Regarde quels dégâts elle fait!

Qu'est-ce qu'il y a de drôle?

Ne vous moquez pas
de notre petite chatte.
Elle est encore toute petite.

C'est une chatte tigrée.
Elle va grandir.
Et alors, elle vous
dévorera!

Ils ne connaissent rien
aux chatons.

Approche!
Tu peux jouer avec mon ourson...
enfin... un petit peu.